Eolas faoin Scríbhneoir

Ainm: John Townsend

Is Maith Liom: Mí Lúnasa in Albain, ag déanamh subh oráiste i mí Eanáir, Bach san fholcadán, tráth ar bith den bhliain.

Ní Maith liom: Bachlóga Bhruiséil, siopadóireacht, An Nollaig (bah, bumbug!)

Trí Fhocal a Dhéanann Cur Síos Orm:
'Bond, James Bond.' (I mo chuid brionglóidí!)

Rún nach bhfuil ar eolas ag mórán daoine:
Baineadh amach m'aipindic nuair a bhí mé sé bliana – agus tá mé á hiarraidh ar ais!

Eolas faoin Maisitheoir

Ainm: Jorge ó Pulsar Studios

Is Maith Liom: Coimicí, manga, ceol, madraí, taisteal, scannáin karate

Ní Maith Liom: Gan dóthain ama a bheith agam leis na rudaí is maith liom a dhéanamh!

Trí Fhocal a Dhéanann Cur Síos Orm:
Leisciúil, ard, (beagán) cantalach.

Rún nach bhfuil ar eolas ag mórán daoine:
Ba mhaith liom scannán a dhéanamh.

Clár

Cabidil 1

I bhfolach

Bhí an doras ar oscailt de bheagán, ach cé go raibh, ní raibh Barra in ann feiceáil isteach sa seomra.

Chuala sé duine éigin ag teacht anuas an pasáiste taobh thiar de, duine a bhí ag iarraidh gan aon torann a dhéanamh. B'éigean do Bharra bogadh. Leag sé a lámh ar an hanla. Leath an doras ar oscailt agus shleamhnaigh sé isteach sa seomra. Bhí an seomra fós dorcha taobh istigh. Bhí **léas beag solais*** ag teacht isteach thart ar dhallóga na fuinneoige. Chonaic sé bord mór agus cathaoireacha gorma plaisteacha thart timpeall air.

* **léas beag solais:** ga beag, líne bheag solais

1

Bhí clár bán ar sheastán ar an taobh eile den seomra ó Bharra. Seomra cruinnithe den chineál éigin a bhí ann, dar leis.

Chuaigh scáil dhubh thar an doras taobh amuigh. Léim Barra isteach faoin mbord. Rinne sé a dhícheall gan aon cheann de na cathaoireacha a leagan. Rinne a dhá ghlúin smidiríní de na criospaí **stálaithe*** a bhí caite ar an urlár. Isteach leis sa spás dorcha faoin mbord. Bheadh sé sábhailte anseo, dá mbeadh an t-ádh leis. Slán sábháilte ó Lára.

Bhí a fhios aige go mbeadh Lára **sa tóir air**** cheana féin. 'Cuirfidh mé geall €5 nach mbeidh tú in ann teacht orm taobh istigh de chúig nóiméad,' a dúirt Barra léi. Chuir siad beirt ar siúl a gcuid stopuaireadóirí.

Anois bhí Barra slán sábháilte, é i bhfolach faoin mbord. Bhuail sé cnaipe chun an solas ar a uaireadóir a lasadh. Bhí nóiméad amháin agus 48 soicind caite cheana féin. Ní thiocfadh Lára air go brách san áit seo.

Bhí sé cinnte go mbuafadh sé an geall. Ach bhí

---

*   **stálaithe:** ní raibh siad úr
**   **sa tóir air:** ina dhiaidh, á chuardach

a fhios aige go mbeadh siad beirt i dtrioblóid dá dtiocfadh Bean de hÓra orthu ag imirt 'Imigh i bhFolach' san óstán. Tar éis an méid a dúirt sí leis thíos staighre uair an chloig roimhe sin, bhí a fhios ag Barra go mbeadh sí **le ceangal**!*

'A Bharra Uí Éalaí, ba mhaith liom labhairt leat,' a dúirt sí. 'Tá a fhios agam gur tú an duine is óige ar an turas sciála seo, ach fós féin, tá tú cúig bliana déag d'aois. Ba cheart go mbeadh ciall éigin agat faoin tráth seo. Ní haon áit é an t-óstán le bheith ag imirt cluichí seafóideacha ann. Chonaic mé tú anois díreach agus tú ag pleidhcíocht san ardaitheoir. Ní raibh mé ag iarraidh tú a thabhairt ar an turas seo ar an gcéad dul síos, ach d'impigh do thuismitheoirí orm tú a bhreith liom. Ná lig síos anois iad. An dtuigeann tú go maith mé?'

D'fhan sí le go bhfeicfeadh sí cuma bhrónach ar éadan Bharra. Bhí sé an-mhaith ag cur cuma bhrónach air féin. Bhí sé in ann dallamullóg a chur ar gach múinteoir sa scoil leis an éadan sin. Bhuel, beagnach gach múinteoir – ní raibh aon ghlacadh ag

---

* **le ceangal:** an-chrosta

3

Bean de hÓra lena éadan brónach.

'Rinne tú go maith ar an gcúrsa sciála tirim sa bhaile,' a bhí sí a rá. 'Bhí mé cinnte go raibh tú réidh le tabhairt faoi thuras mór scoile den tsórt seo. Tá an-scil agat sa **gleacaíocht***, mar sin tá mé ag súil le rudaí iontacha uait. Ach má bhíonn orm labhairt leat arís, a Bharra, beidh mé an-chrosta.'

'Tá brón orm, a mháistreás.' Bhí éadan Bharra cosúil le coileáinín beag croíbhriste anois, ach fós ní raibh an fhéachaint bhrónach ag dul i bhfeidhm ar Bhean de hÓra. Ansin, dúirt sí rud éigin a bhí an-dian, fiú uaithi siúd.

'Níl sé rómhall glaoch ar do thuismitheoirí, bíodh a fhios agat. D'fhéadfainn glaoch orthu anocht agus a rá leo teacht agus tú a thabhairt abhaile.'

Cén fáth nár thaitin sé le Bean de hÓra? Ní raibh Barra in ann an scéal a thuiscint. Cheap formhór daoine fásta gur 'leaid óg cliste, bríomhar' é. Thaitin sé le gach duine sa Chlub Gleacaíochta – ach ní raibh ag éirí leis fós dul i bhfeidhm ar Bhean de hÓra.

---

* **gleacaíocht:** spórt a mbíonn léim, luascadh agus dreapadh i gceist go mór ann

4

Bhí cantal uirthi* ón nóiméad a thosaigh na deacrachtaí a bhí ag lucht an turais. Bhí siad fágtha ag fanacht san aerfort ar feadh na maidine mar go raibh an áit dúnta ag an gceo. Chuir sé sin strus mór uirthi. Ansin chuala siad fógra a dúirt go raibh moill 24 uair an chloig ar gach eitilt chuig an Ostair. Chaith Bean de hÓra an tráthnóna ag iarraidh lóistín a shocrú don ghrúpa ar fad, in óstán in aice leis an aerfort. Shuigh na daltaí thart ar an halla imeachta, iad bréan de bheith ag fanacht, iad ag éisteacht le ceol ar a gcuid fón. Ar feadh an ama, bhí Bean de hÓra ar a fón féin agus í ag caint leis an gcomhlacht árachais. Bhí an strus le feiceáil ina súile.

Bhí drochthús leis an turas ón gcéad nóiméad. A luaithe is a bhí gach duine ina suí ar an mbus os comhair na scoile, bhuail an clog aláraim ar uaireadóir Bharra.' Coc a dúdal dú!' a bhí aige – glór coiligh a bhí socraithe mar fhuaim aláraim aige. Chuir sé sin gáire ar an mbus ar fad. Gach duine ach amháin Bean de hÓra. 'Má chloisim an rud sin uair

---

*   **Bhí cantal uirthi:** bhí sí crosta

amháin eile, a Bharra Uí Éalaí, bainfidh mé díot é.'

Agus chuaigh cúrsaí in olcas. Dhá nóiméad ina dhiaidh sin, chuir máthair Bharra glaoch air. **Clingthon*** aisteach a bhí aige chomh maith. Fuaim meaisínghunna ag scaoileadh **rois piléar**** a bhí ann, agus bhí sí ard mar fhuaim.

---

*   **clingthon:** fuaim a chloistear nuair a bhuaileann fón

**   **rois piléar:** roinnt mhaith piléar á scaoileadh in éineacht

'Múch an rud sin, ar an bpointe boise!' a bhéic
Bean de hÓra.

Bhí siad ag tarraingt amach geata na scoile nuair
a dúirt sí leis an tiománaí stopadh nóiméad. Bhain
sí anuas micreafón an bhus agus thosaigh sí ag
béiceadh isteach ann. 'Níl mé chun glacadh le daoine
ag déanamh gleo páistiúil de gach saghas agus sinn
ar an turas seo,' a deir sí. 'Tá súil agam go bhfuil tusa
ag éisteacht, a Bharra Uí Éalaí!' Ansin, thóg sí fón

Bharra uaidh agus chuir sí síos ina mála é.

Rinne glúin Bharra torann agus é ag bogadh faoin mbord, torann ar nós leac oighir ag scoilteadh. Bhí súil aige nach raibh an scoilt cloiste ag Lára. Bhí na soicindí ag imeacht ach d'fhéadfadh sí an cluiche a bhuachan fós.

An í siúd a bhí díreach tar éis siúl isteach sa seomra? Dá bhféachfadh sí faoin mbord, d'fheicfeadh sí é. D'fhan Barra nó go bhfeicfeadh sé a bróga reatha os a chomhair...ach níorbh iad a chonaic sé anois, ach cosa duine éigin eile ar fad.

Bróga snasta dubha fir a chonaic sé os a chomhair agus treabhsar dúghorm os a gcionn.

Chuala Barra an doras á dhúnadh. Ansin, chonaic sé péire eile cos. Péire **cuarán*** a bhí ar na cosa sin agus ina seasamh taobh leis an gclár bán a bhí siad. Stop Barra ag análú nuair a tháinig an bhróg dhubh anuas díreach in aice a láimhe. Bhí teannas aisteach ina mhéara agus bhí a chroí ag rith is ag rás. Níorbh aon áit é seo le dul i bhfolach. Ní raibh Barra ag iarraidh go bhfeicfí anois é. Ní anois.

---

*   **Cuaráin:** bróga oscailte a bhfuil strapaí orthu lena gceangal le cosa an duine atá á gcaitheamh

Cabidil 2

Soicindí ag Ticeáil

Rinne Barra **burla*** de féin faoin mbord, féachaint an bhféadfadh sé fanacht i bhfolach ó na daoine sa seomra.

'Raidht, níl mórán ama againn,' arsa fear na mbróg dubh. Labhair sé amhail is go raibh deifir uafásach air, agus nach raibh sé ag iarraidh go gcloisfeadh duine ar bith é. 'Seo eochair uimhir 829.'

Caitheadh na heochracha anuas ar an mbord, díreach os cionn chloigeann Bharra.

---

* **burla:** cosúil le liathróid nó carn nó cnap

'Tiocfaidh tú ann ar gach rud atá uait – teileascóp, raidiónna, cláir ama. Coinnigh súil ar an idirlíon chomh maith. Tá cúrsaí ina bpraiseach ag an gceo seo, ach tá roinnt ama bhreise againn dá bharr chomh maith. Fógrófar go luath an t-am a mbeidh an t-eitleán ag fágáil. Feicfidh tú deireadh an **rúidbhealaigh*** nuair a scaipfidh an ceo.'

Scríob na heochracha an bord. Bhog an péire cuarán níos gaire. Fuair Barra boladh cos lofa. Nuair a thosaigh fear eile ag caint, d'aithin Barra óna **chanúint**** gurbh as tír eile é. 'Agus an gluaisrothar?' a dúirt an fear eile 'Caithfidh mé éalú go tapa.'

'Thíos san íoslach atá an gluaisrothar. Tá gach rud faoi réir. Fadhb ar bith.'

Go tobann, thit na heochracha ar an talamh. Thuirling siad ar lámh dheis Bharra. Bhain an buille oiread de gheit as gur bheag nár lig sé béic as. Bhí dhá eochair ar an bhfáinne, chomh maith le clib a raibh an uimhir scríofa uirthi – 829. Níor stop Barra

---

* **rúidbhealach:** bóthar leathan a thiomáineann eitleán air sula n-éiríonn sé san aer

** **canúint:** an bealach a deir daoine focail, ag brath ar an áit arb as dóibh

le cuimhneamh air féin. Le casadh dá rosta, scuab sé na heochracha amach uaidh féin, amach thar an mbrat urláir nó gur leaindeáil siad anuas i gcoinne na mbróg dubh.

Stop Barra ag análú arís. Ní gnáthrud é ma thiteann eochracha ar urlár go dtosaíonn siad ag preabadh thart.

An dtuigfeadh na fir go raibh duine éigin i bhfolach faoin mbord? Cén míniú a thabharfadh sé ar bheith ina luí istigh faoi?

Tháinig lámh anuas le breith ar na heochracha. Bhí éadan fhear na mbróg dubh beagnach ar an airde chéanna leis an mbord agus é ag cuardach thart do na heochracha lena lámh. Stán Barra ar an lámh. Lámh dheis a bhí inti, agus bhí an ordóg ar iarraidh.

Líon glór láidir fhear na mbróg dubh an spás beag dorcha faoin mbord.

'Bí cinnte go gcoinneoidh tú an gunna sin lódáilte

ar feadh an ama. Ná hoscail an doras do dhuine
ar bith. Ach amháin mise. Cnagfaidh mé an cód i
gcónaí. Agus ná fág lorg méar in áit ar bith. Rachaidh
MI5 tríd an óstán seo ó bhun go barr. Beidh eolas
DNA acu chomh maith.'

D'éirigh an glór níos boige arís nuair a sheas an
fear suas faoi dheireadh. Bhí sé tar éis na heochracha
a phiocadh suas gan féachaint faoin mbord. Bhí
faitíos ar Bharra fós anáil a tharraingt. Bhí sé fós
ag smaoineamh faoin lámh sin a raibh an ordóg ar
iarraidh uaithi.

'Sa seomra seo a bhuailfimid le chéile chun gach
duine a choinneáil ar an eolas. Má chloiseann tú sé
cinn de chnaganna agus **bearna*** ina ndiaidh agus
buille eile ina dhiaidh sin ar do dhoras, ciallaíonn
sé sin go gcaithfidh tú teacht anuas anseo **ar an
bpointe boise****. Raidht? Ceist ar bith?'

'Ah..níl. Maróidh mé ar dtús – cuirfidh mé ceist ina
dhiaidh.'

---

*   **bearna:** sos
**   **ar an bpointe boise:** gan aon mhoill a dhéanamh, láithreach bonn

B'fhada le Barra go n-imeodh na fir. Bhí an iomarca cloiste cheana féin aige. Bhí rud éigin scanrúil ar siúl.

Ní bheadh mórán suime ag na fir seo san **éadan*** brónach sin a chuaigh i bhfeidhm ar na múinteoirí. Ní raibh cloiste ag Barra uathu ach nóiméad nó dhó cainte, agus ní raibh sé in ann mórán céille a bhaint aisti mar chaint. Ach bhí a fhios aige go mbeadh sé i dtrioblóid uafásach dá dtiocfadh na fir air.

Bhí an iomarca ama caite ag Barra faoin mbord. Ní raibh sé sábháilte. Bhí na soicindí fós ag ticeáil ar a uaireadóir i dtreo na gcúig nóiméad a bhí socraithe aige le Lára. Sin é an uair a bhuailfeadh an t-aláram. Faoi cheann sé shoicind déag eile, bheadh 'COC A DÚDAL DÚ!' mór ard le cloisteáil. Ach bhí dearmad déanta ag Barra air sin. Shiúil na bróga dubha i dtreo an dorais.

'Rud eile de. Coinnigh fógra 'NÁ CUIR ISTEACH ORM' crochta ar do dhoras ar feadh an ama.'

15 soicind fágtha.

---

* **éadan:** aghaidh

'Ná bí buartha. Ní bheidh cead isteach ag duine ar bith,' arsa fear na gcuarán.

13 soicind.

'Éist! Céard é sin?'

'Torann. Tá duine éigin ann.'

'Cá háit?'

'Díreach taobh amuigh.'

D'oscail fear na gcuarán an doras. Chuala Barra glór mná.

'Tá glaoch teileafóin duit thíos ag an bhfáiltiú, a dhuine uasail,' a dúirt an bhean.

'Raidht, beidh mé anuas ar an bpointe,' a dúirt an fear a bhí gan ordóg. Ní raibh sé **pioc*** neirbhíseach.

Ocht soicind fágtha.

'Ar chuala sí rud ar bith, meas tú?' Bhí imní le cloisteáil anois i nglór Fhear na gCuarán.

'Tóg go réidh é. Má fhaighimse amach go bhfuil rud ar bith ar eolas aici, déileáilfidh mise léi.'

Ceithre shoicind fágtha.

---

* **pioc:** blas, píosa beag ar bith

Shiúil an dá phéire cos amach as an seomra agus dúnadh an doras ina ndiaidh – díreach nuair a phléasc fuaim an aláraim ó uaireadóir Bharra. Bhuail Barra a lámh anuas ar chnaipe an aláraim. Bhuail sé a chloigeann in aghaidh an bhoird os a chionn leis an ngeit a bhí bainte as. Ansin ciúnas. Seachas buillí a chroí.

Phléasc an doras ar oscailt arís. 'Ar chuala tú é sin?' Isteach sa seomra in athuair le Fear na gCuarán.

'Tóg go réidh é. Tá tú róneirbhíseach. Ón taobh amuigh den fhuinneog a tháinig sé. Tá an áit seo lán le páistí.'

'Hmm.' Ní raibh Fear na gCuarán chomh cinnte céanna. Sheas sé ar feadh roinnt soicindí. Ansin amach arís tríd an doras leis agus dhún sé de phlab é taobh thiar de.

Bhí an seomra folamh in **athuair***. Luigh Barra ar a bholg agus lig sé osna fhada uaidh. Níor chuir an t-ispín leathite taobh lena éadan isteach ná amach

---

* **in athuair:** arís

air. Níor chorraigh sé ar feadh dhá nóiméad iomlána. Bhí sé fós ina luí ann agus mearbhall air nuair a fuair Lára é.

Cabidil 3

Fear na gCuarán agus Fear Gan Ordóg

'Tá rogha simplí agat,' arsa Lára le Barra. 'Abair le Bean de hÓra go raibh tú ag **cúléisteacht*** le comhrá grúpa fear a bhí aisteach agus go bhfuil buairt ort go bhfuil rud éigin tromchúiseach ag dul ar aghaidh. É sin nó labhair le lucht an óstáin – tá Garda Slándála thíos sa halla fáiltithe. Nó d'fhéadfá do chlab a choinneáil dúnta agus ligint ort nár tharla rud ar bith.'

Rinne Barra a mhachnamh ar an scéal. 'Tá m'intinn socraithe agam. Má insím an scéal do

---

* **cúléisteacht:** ag éisteacht i ngan fhios don duine atá ag caint (agus tú i bhfolach, b'fhéidir)

Bhean de hÓra, cuirfidh sí abhaile mé.' Rinne sé aithris ar a glór: 'Tá tú tar éis bheith ag pleidhcíocht ó d'fhágamar. Anois tá **do mo bhodhrú*** le scéal páistiúil. Buachaillín seafóideach tú. Beidh orm glaoch ar do thuismitheoirí, a Bharra Uí Éalaí.' Bhí Barra go hiontach ag déanamh aithrise ar dhaoine.

Rinne Lára miongháire. Ach ní ag magadh a bhí Barra. Ní raibh aon mhaith leis an rogha eile a bhí molta aici ach oiread.

'Ní fiú rud ar bith a rá leis an Lucht Slándála,' a dúirt sé léi. 'Cur amú ama a bheadh ansin. 'Gasúr le smaointe amaideacha. Cloiseann sé fir aisteacha. Ní féidir rud ar bith a chruthú' – sin a bheadh le rá acu siúd. Ar aon nós, is cinnte go bpléifidis an scéal le Bean de hÓra. Breathnaigh, a Lára, is fíor – ní féidir liom rud ar bith a chruthú. Ach tá mé a rá leat – tá rud éigin as bealach ar siúl.'

D'fhéach Lára sa dá shúil air. Ní cosúil le súile brónacha coileáinín a bhí siad anois. Bhí siad daingean, **diongbháilte****.

---

*   **do mo bhodhrú:** ag cur as dom le caint gan stad
**   **diongbháilte:** socraithe go han-chinnte ar rud éigin a dhéanamh

'Aithním ort nach bhfuil tú chun dearmad a dhéanamh air seo ar fad,' a deir sí.

'Ní féidir liom, a Lára. Ní féidir liom glór an duine leis na cuaráin a chur as mo cheann. Bhí olcas ceart ann. Tá rud éigin uafásach á phleanáil aige. Tá mé cinnte de. Caithfidh mé rud éigin a dhéanamh. Caithfidh mé a fháil amach céard atá i gceist aige agus ansin an scéal ar fad a insint don Lucht Slándála. Dá mbeadh **cruthúnas*** éigin agam, ansin bheadh aird acu orm.'

Bhí Barra ina thost. 'Caithfidh mé súil a chaitheamh i Seomra 829 go bhfeicfidh mé.'

Ní raibh Lára róthógtha leis an smaoineamh sin. 'Ach más fíor an méid a deir tú, seans go bhfuil fear thuas i Seomra 829. Fear a bhfuil gunna aige agus é a breá sásta é a úsáid.'

'Tá a fhios sin agam,' arsa Barra. 'Ach tá plean agam. An t-aon rud faoi ná...'

'Ná?'

'Beidh do chúnamh ag teastáil uaim.'

'Ok. A fhad is a thugann tú d'uaireadóir ar iasacht

---

* **cruthúnas:** eolas cinnte a thaispeánann go bhfuil rud éigin fíor nó bréagach

dom nuair a bheimid ag sciáil. Is breá liom an
t-aláram coiligh sin – tá sé chomh hard sin. Nár dheas
é a fhágáil i seomra leapan Bhean de hÓra agus é
socraithe le bualadh ag a do a chlog ar maidin!'

Chuir an smaoineamh sin gáire ar Bharra. Ach níor
mhair an gáire sin i bhfad. Mar bhí go leor eile **ar a
aire*** aige. Bhí gá le **dianmhachnamh**** a dhéanamh.
Conas a d'fhéadfadh sé insint don Lucht Slándála faoi
Fhear na gCuarán ionas go gcreidfidís é? Agus cérbh
é an fear gan ordóg? Fear na gCuarán agus Fear Gan
Ordóg – bhí sé ar nós teidil ar scannán aisteach éigin.

'An bhféadfá d'fhón póca a thabhairt ar iasacht
dom?' a d'fhiafraigh sé de Lára. 'Caithfidh mé roinnt
grianghraf a ghlacadh. Nuair a bheidh cruthúnas
éigin agam ar gach rud atá ag dul ar aghaidh, is féidir
liom rudaí a thaispeáint don Lucht Slándála agus
creidfidh siad mé.'

'An é sin an méid a theastaíonn uait, díreach
m'fhón póca?' arsa Lára.

'An bhféadfá beagán aisteoireachta a dhéanamh
chomh maith, a Lára?' arsa Barra. 'An bhféadfá ligean

---

*   **ar a aire:** ar a intinn, go leor aige le déileáil leis
**   **dianmhachnamh:** machnamh nó smaoineamh dian, cúramach

ort gur glantóir tú? Tá an t-óstán seo lán de mhic léinn atá ag obair mar ghlantóirí. Tháinig mé ar chófra na nglantóirí ar an urlár s'againne...nuair a bhí mé ag iarraidh teacht ar áit le dul i bhfolach ann. Tá éide oibre agus an fearas glantacháin ar fad thuas ann. Má tá tú sásta é a dhéanamh, d'fhéadfá rud éigin a fháil dom.'

'Cén rud atá uait?' a d'fhiafraigh Lára.

'Níl ann ach eochair. Eochair Sheomra 829.

******

Leathuair an chloig ina dhiaidh sin, bhí Barra ina shuí i halla fáiltithe an óstán. Bhí go leor ar siúl ann. Taobh amuigh den doras tosaigh, bhí tacsaithe ag teacht is ag imeacht; bhí daoine ag sciúrdáil thart agus cuid eile ina seasamh thart ag fanacht. De bharr go raibh moill ar go leor eitiltí, bhí an t-óstán pacáilte. Bhí glór le cloisteáil ó na **callairí*** sa tsíleáil ag tabhairt eolais faoi amanna eitilte. Bhí cúpla eitilt chuig na Stáit Aontaithe chun imeacht go luath, ach bhí formhór na gceann eile curtha siar ar feadh 24 uair an chloig.

* **callairí:** an chuid de chóras fuaime nó raidió nó teilifíse as a dtagann an fhuaim

D'fhéach Barra ar na sluaite a bhí ag bogadh thart ina thimpeall. Bhí sé ina shuí in aice le meaisín deochanna. Bhí fear ag deasc an Lucht Slándála ag iarraidh cabhrú le bean a raibh rud éigin caillte aici. Ní raibh aici ach a teanga féin – Rúisís, a cheap Barra, agus níor thuig sí féin agus an fear slándála a chéile. Píosa siar uathu siúd, bhí fear ina shuí ag léamh nuachtáin. Léigh Barra an **ceannlíne*** ar an leathanach tosaigh: 'Ionsaí Aerfoirt – Cúis Imní'. Chuir sé sin Barra ag smaoineamh...cad a bhí cloiste i ndáiríre aige, thuas staighre? Nó an é go raibh sé ag cailleadh smachta ar a shamhlaíocht? B'fhéidir nach raibh sa mhéid a bhí cloiste thuas staighre aige ach pleidhcíocht. B'fhéidir go raibh Barra ag déanamh scéal mór de rud nach raibh tábhacht ar bith leis.

Tháinig Barra chuige féin nuair a chuala sé glór ag labhairt leis. Bhí duine éigin ag caint leis.

'Tá súil agam go bhfuil tú ag baint taitnimh as fanacht san óstán seo, a dhuine uasail. Ach más é do thoil é, ná bí ag pleidhcíocht san ardaitheoir.'

D'fhéach Barra suas ar an nglantóir agus bhog sé a

---

* **ceannlíne:** abairt ghearr scríofa i litreacha móra ag barr ailt nó scéil i nuachtán

cosa ionas go bhféadfadh sí an seomra a scuabadh. Is
ansin a thuig sé cé a bhí ann – Lára!

Bhí cuma iontach uirthi agus í gléasta in éide
glantóra agus lán buicéid d'**fhearas*** dustála agus
sciúrtha lena taobh!

'Tar liomsa, a dhuine uasail.' Isteach i gceann
de na hardaitheoirí le Lára. Lean Barra í. Bhí sé fós

*   **fearas:** uirlisí nó ábhar a úsáidtear le jab a dhéanamh

ag iarraidh é féin a stopadh ó bheith ag gáire. Níor labhair sé léi go dtí go raibh an bheirt acu astu féin san ardaitheoir agus an doras dúnta orthu.

'Seo duit í,' arsa Lára agus gáire buacach ar a béal. Bhain sí eochair dorais amach as a póca. Chonaic Barra an uimhir ar an g**clib*** – 829.

'B'éigean dom m'ainm a shíniú i leabhar lena fháil. Bhí mé cinnte go n-aithneoidís nach glantóir ceart mé. Ach tá gach duine chomh gnóthach sin, níor thug siad rud ar bith faoi deara. Dúirt mé go raibh m'eochair curtha faoi ghlas i mo sheomra agam agus go raibh iasacht eochair bhreise de dhíth orm ar feadh dhá nóiméad. Bhí sé an-simplí é a dhéanamh. Seo duit, a Bharra. Fútsa atá anois. Tá an chuid is éasca déanta agamsa.'

Shín sí an eochair chuig Barra, díreach agus an t-ardaitheoir ag stopadh ag barr an tí. D'oscail na doirse. Bhí Seomra 829 áit éigin thíos sa phasáiste fada dorcha a shín amach rompu. Tollán a raibh cairpéad gorm ann agus doirse dúnta ar gach taobh de. Tollán dorcha, dainséarach.

* **clib:** píosa miotail a bhfuil uimhir an tseomra greanta anuas uirthi

Cabidil 4

Seomra 829

Bhí ciúnas ann sa phasáiste. Ag a dheireadh
thiar, tháinig Barra chomh fada le seomra 829.
Bhí comhartha ar crochadh ón **hanla*** – 'Ná Cuir
Isteach Orm.' Sin é go díreach an rud a bhí sé chun a
dhéanamh. Bhí allas le bosa a lámh agus bhí mothú
teann ina scornach.

Bhí an plean simplí go maith.
Bhí Barra chun cnagadh sé huaire ar an doras, ansin
fanacht ar feadh soicind, sos beag a ligean agus
ansin cnagadh aon uair amháin eile. Ansin rithfeadh

---

* **hanla:** an chuid den doras a mbeireann tú air lena oscailt

sé síos chomh fada leis an gcófra glantóra, cúpla doras síos uaidh. Bhí Lára istigh ann agus í i bhfolach cheana féin. Thógfadh sé aon nóiméad go leith ar dhuine siúl síos chuig an seomra comhdhála a bhí dhá urlár thíos uathu. Bhí Lára agus Barra tar éis **an t-achar*** a thógfadh an t-aistear sin a thomhas cheana féin. Shiúlfadh Fear na gCuarán thar an gcófra agus bheadh sé imithe ar feadh trí nóiméid. B'shin an méid ama a bhí ag Barra chun dul isteach i Seomra 829, pictiúir a ghlacadh le fón Lára, sciúrdáil amach agus dul i bhfolach **in athuair**** sa chófra glantóra. Bheadh air é sin ar fad a dhéanamh sula bhfillfeadh Fear na gCuarán. Choinneodh Lára súil amach agus dá dtiocfadh Fear na gCuarán níos túisce ná mar a raibh súil leis, chuirfeadh sí féin ar siúl an Hoover. Thabharfadh an glór sin foláireamh do Bharra a theacht amach ar an bpointe boise agus rith síos ar ais chuig an gcófra glantóra.

Tharraing Barra anáil mhór agus d'ardaigh sé a dhorn. Cnag, cnag, cnag, cnag, cnag, cnag...fan...cnag.

---

*   **an t-achar:** an méid ama
**   **in athuair:** arís

Rith! Síos leis de sciuird chomh fada leis an gcófra. Léim sé isteach ann. Tharraing Lára an doras chuici, ach níor dhún sí ar fad é, ionas go bhféadfadh sí féachaint amach.

Bhí Fear na gCuarán taobh amuigh cheana féin, ag déanamh ina dtreo. Shiúil sé leis thar an gcófra agus síos an pasáiste leis. Isteach san ardaitheoir leis. Bhí sé imithe. Amach le Barra, fón Lára i lámh amháin agus eochair Sheomra 829 sa lámh eile. D'oscail sé an doras go cúramach.

Bhí an leaba clúdaithe le gach cineál stuif. Bhí mapaí agus pleananna **ar fud na bhfud*** ann. Cheap Barra gur pleananna de rúidbhealaí aerfort a bhí iontu. Bhí leabhair nótaí caite thart agus iad breac le huimhreacha agus uillinneacha. Bhí ríomhaire glúine ann agus leathanach faoi eitiltí ón aerfort ar oscailt air. Léigh sé an leathanach: *Eitilt RS 621 go Washington – moill air. Am imeachta fós le fógairt*.

Thosaigh Barra ag cliceáil le fón Lára. Bhí a shúil dírithe ar an ábhar a raibh sé ag iarraidh pictiúr

---

* **ar fud na bhfud:** ar fud na háite

a ghlacadh de nuair a chuala sé CRAIS! Bhí pláta sceallóg leagtha de bhord taobh thiar de aige. Thriail sé na sceallóga a chur ar ais mar a bhí, ach ba ghearr go raibh citseap ar fud a mhéar aige.

Ní raibh mórán ama aige agus ní raibh rud ar bith feicthe fós aige a thaispeánfadh do na Gardaí go raibh drochobair éigin ar bun.

Is ansin a chonaic Barra bairille gunna mhóir faoin leaba. Leis an ngeit a baineadh as, thóg sé coiscéim siar. Sciorr sé agus thit sé anuas ar na páipéir a bhí caite thart ar an urlár. Is ansin a chonaic sé bileog a chuir síos ar arm darbh ainm 'Igla – 9K38.' Cineál 'PAMS' a bhí ann – *'Portable Anti-Aircraft Missile System.'* Ghlac sé pictiúr de, rud a bhí deacair mar go raibh a mhéar ag sciorradh ar an scáileán de bharr an chitseaip ar a mhéara. Nuair a chliceáil an ceamara, las an splanc an seomra. Chonaic Barra é féin ar feadh soicind sa scáthán ar an mballa, Bhí **citseap*** smeartha ar a liopa uachtair aige. Bhí cuma ar a shrón go raibh sí ag cur fola.

Bhí fíorbheagán ama fágtha aige. Bhí sé

---

*   **citseap:** anlann dearg a dhéantar as trátaí

róchontúirteach** an gunna a tharraingt amach ar an urlár chun pictiúr níos soiléire a thógáil de. Ansin chonaic Barra gearrthóga nuachtán i dteangacha éagsúla a bhí caite ar chathaoir. Bhí nóta scriobláilte leagtha anuas orthu. Ní raibh Barra in ann an nóta a dhéanamh amach ach d'ardaigh sé fón Lára arís.

Splanc. D'fhéach sé ar a uaireadóir. Bhí níos lú ná 30 soicind fanta aige. Bhí Lára fós ina seasamh taobh amuigh den doras, ag féachaint ar a huaireadóir féin. Nuair a d'ardaigh sí a ceann le féachaint síos an pasáiste i dtreo an ardaitheora, bhí fear ina sheasamh os a comhair.

'Cad atá ar siúl agatsa?' a bhéic sé. 'Nach bhfaca tú é seo – **'Ná Cuir Isteach Orm'?'**

Bhrúigh Lara cnaipe an Hoover lena cois ach tharraing Fear na gCuarán an phlocóid glan amach as an soicéad ar an mballa.

'Ná Cuir Isteach Orm' – nach dtuigeann tú é sin? Imigh. Imigh as seo, anois díreach.'

Sháigh sé a eochair sa ghlas agus bhrúigh sé an doras ar oscailt.

---

*   **róchontúirteach:** ródhainséarach

31

'Tá brón orm,' arsa Lára. Leag sí uaithi an sreangán. Chuaigh cos chlé Fhear na gCuarán i bhfastó ann. Chas sé chuici arís agus fearg air.

'A óinseach! Imigh leat, a deirim.' D'ardaigh sé a dhorn, amhail is go raibh sé chun í a bhualadh.

Bhí Lára ar a míle dícheall ag iarraidh cúpla soicind eile a thabhairt do Bharra a theacht amach.

'Mise brónach – ní thuigim tú,' a dúirt sí, ag cur **canúint eachtranach*** uirthi féin. 'Cad tú rá?'

Tharraing Fear na gCuarán cic ar an Hoover a chuir trasna an phasáiste é. Chas sé ar a sháil agus isteach sa seomra leis. Dhún sé an doras de phlab ina dhiaidh. Thit an comhartha **'Ná Cuir Isteach Orm'** go talamh. Bhí croí Lára ag rásaíocht. Theip uirthi. Níor éirigh le Barra éalú in am. Bhí sé sáinnithe taobh istigh sa seomra.

A luaithe is a chuala Barra an eochair á cur sa doras, sheas sé ina staic. Cad a d'fhéadfadh sé a dhéanamh? Ní raibh áit ar bith le dul i bhfolach ann. Anonn chuig an bhfuinneog leis. Bhí balcóin

---

* **canúint eachtranach:** bealach a labhraíonn duine ó thír eile nach bhfuil in ann do theanga a labhairt go rómhaith

bheag taobh amuigh ann. Faoin am ar phléasc Fear na gCuarán an doras isteach, bhí Barra amuigh ann, agus é ag brú fón Lára síos ina phóca.

D'fhéach Barra síos ar an gcarrchlós, i bhfad thíos uaidh. Bhí na carranna thíos mar a bheadh bréagáin bheaga iontu. Ar bharr an fhoirgnimh ar fad a bhí sé féin, ar an ochtú urlár. Ní raibh éalú ar bith ann – ach bhí air éalú sula bhfeicfeadh Fear na gCuarán é.

Níor fhan Barra i bhfad le plean a oibriú amach. Rug sé greim ar ráille na balcóine agus amach thairis leis. Choinnigh sé **greim daingean*** ar an ráille agus d'fhéach sé síos. Bhí balcóin ag gobadh amach ón gcéad urlár eile síos faoi.

Thosaigh a mhéara ag sciorradh, de bharr iad a bheith fós smeartha le citseap. Thriail sé a chosa a luascadh, ionas nach mbuailfeadh sé na ráillí agus é ag titim. Bhí a bheatha anois ag brath ar a chuid scileanna gleacaíochta. Bhí sé riamh go maith in ann léim a thomhas agus é ag luascadh ó na barraí sa

---

*   **greim daingean:** greim láidir

halla gleacaíochta ar scoil. Ach bhí sé seo i bhfad níos deacra agus i bhfad níos scanrúla.

Torann tobann sa seomra os a chionn ba chúis leis a lámha a scaoileadh.

Luasc Barra agus thit sé. Anuas leis **de phlab*** ar an mbalcóin thíos faoi. Sheas sé suas arís agus thriail sé na fuinneoga a oscailt. Bhí an t-ádh dearg leis – shleamhnaigh an fhuinneog ar oscailt agus isteach sa seomra leis. Chuala sé glór uisce ag rith agus bean ag canadh – sa chithfholcadh a bhí sí. Díreach agus é ag oscailt an dorais leis an seomra a fhágáil, osclaíodh doras an tseomra fholctha agus amach leis an mbean, í cludaithe le tuáille mór. Lig sí scréach aisti.

'Mo mhíle leithscéal,' arsa Barra agus rith sé amach as an seomra. Rith sé leis síos an pasáiste. Bhí an bhean fós ag scréachaíl. **'Fóir orm!***'** a deir sí. 'Bhí duine éigin sa seomra! Ag iarraidh féachaint orm sa chithfholcadh a bhí sé!'

---

* **de phlab:** an torann a dhéantar nuair a bhuaileann tú an talamh tar éis léim a thógáil
** **Fóir orm!:** cabhraigh liom!

Choinnigh Barra air. Bhí air Lára a fháil agus insint di faoin méid a bhí feicthe aige i Seomra 829. Bhí an ceart aige faitíos a bheith air. **Sceimhlitheoir*** a bhí i bhFear na gCuarán...agus bhí Barra cinnte anois go raibh gníomh uafáis de chineál éigin pleanáilte aige.

---

* **Sceimhlitheoir:** duine a mharaíonn daoine ar bhealach gránna scanrúil chun aird a tharraingt ar chúis éigin a gcreideann sé nó sí inti go diongbháilte

Cabidil 5

Rás in aghaidh an Ama

D'fhéach Lára ar gach pictiúr ar an bhfón. Nóta i bhFraincis a bhí sa leathanach scriobláilte a bhí fágtha ar an gcathaoir i Seomra 829.

Date Limite

Ven?

Vol RS 621

Tire de toit de 829

'Cad is brí leis sin ar fad?' a d'fhiafraigh sí de Bharra.

'Níl a fhios agam - ach tá mé cinnte go bhfuil sé i gceist acu eitleán a leagan go talamh. Cén fáth eile a mbeadh na sonraí eitilte sin ar fad acu agus an stuif ar fad faoi airm agus **díuracáin*** agus rudaí? Tá Fear na gCuarán ag iarraidh ionsaí a dhéanamh ar an eitileán sin atá ag dul go Washington. Sin atá i gceist le 'RS 621' sa nota. Chonaic mé sonraí na heitilte ar an ríomhaire thuas ann. Sin uimhir eitilt Washington.

'Caithfidh tú an scéal a insint do Bhean de hÓra.'

Rinne Barra machnamh. 'B'fhearr dá ndéanfá féin é. Is fearr an aird a bheidh aici ortsa. An féidir leat díuracán Isla a ghoogláil ar d'fhón póca? Ansin taispeánfaidh mise na pictiúir do Lucht Slándála an óstáin. Déarfaidh mé leo go gcaithfidh siad stop a chur le Fear na gCuarán sula mbíonn sé ródheireanach. Casfaidh mé leat ar ais anseo faoi cheann cúig nóiméad déag.'

Bhí léine bhán ar an bhfear Slándála thíos ag an deasc sa halla fáiltithe; léine bhán, carbhat dubh agus geansaí dúghorm. D'iarr Barra labhairt leis go príobháideach.

---

* **díuracán:** arm, cosúil le roicéad beag, a scaoiltear le heitleán nó le tanc. Pléascann sé nuair a bhuaileann sé an sprioc.

'Cinnte, a mhac. Isteach anseo leat chuig an oifig ar cúl.' Thug an fear isteach i seomra é a raibh balla amháin ann clúdaithe go hiomlán le scáileáin teilifíse. Bhí pictiúir ó na ceamaraí CCTV ar fud an óstáin le feiceáil ann. '**Buail fút***, a mhac,' arsa an fear.

'Tá mé tar éis teacht ar eolas faoi phlean le heitilt go Washington a leagan go talamh,' arsa Barra. 'Sílim go bhfuil an eitilt ar tí imeacht, a luaithe is a scaipeann an ceo. Tá fear thuas i Seomra 829 agus tá gunna agus diúracán aige. Fear scanrúil é – maróidh sé duine ar bith a thiocfaidh sa bhealach air. Tá mapaí, pleananna eitilte agus gach saghas ruda aige. Caithfear stop a chur leis.'

D'fhill an fear a ghéaga* ar a chéile agus é ag machnamh.

'Tuigim. Tóg go réidh anois é, tá an rud ceart déanta agat. Creidim do scéal,' a dúirt sé.

Lig Barra osna faoisimh. 'Bhí faitíos orm go

---

* **Buail fút:** Suigh síos
** **D'fhill an fear a ghéaga:** chuir an fear géag nó lámh amháin anonn is anall thar ghéag eile os comhair a bhoilg

gceapfá go raibh mé as mo mheabhair.'

'Ní cheapaim é sin beag ná mór. Aithním ort go
bhfuil tú ag insint na fírinne. Ach beidh orm roinnt
sonraí a bhreacadh síos uait. An bhfuil a fhios ag do
tuismitheoirí gur tháinig tú chun cainte liom?'

'Níl a fhios,' arsa Barra. 'Níl a fhios ag duine ar bith.
Seachas mo chara Lára. Is ar an bhfón aici siúd atá
na pictiúir a ghlac me i Seomra 829.. Nílim féin ag
taisteal in éineacht le mo thuismitheoirí. Turas scoile
atá ann agus is í Bean de hÓra atá i gceannas. Ach níl
focal ráite agam léi siúd fós.'

'Scríobh síos d'ainm agus uimhir do sheomra
dom,' arsa an fear slándála. 'Rachaidh an fhoireann
s'againne i mbun oibre ar an bpointe.'

Shín an fear a pheann chuig Barra. Is ansin a thug
Barra rud faoi deara a bhain geit uafásach as. An
ordóg ar lámh dheis an fhir. Bhí sí ar iarraidh.

'Bhfuil rud éigin cearr, a mhac?'

Níor labhair Barra. D'fhéach sé síos ar bhróga
snasta dubha an fhir agus ar an treabhsar dúghorm
a bhí á chaitheamh aige. Díreach ansin, chonaic sé
ceann de na scáileáin ag athrú. Bhí eolas le feiceáil

ann faoi eitilt ón aerfort. Eolas faoin eitleán céanna a raibh trácht air ar ríomhaire Fhear na gCuarán thuas staighre. *Eitilt RS 621 go Washington: ag fágáil anois @ 22.43*

Is ar éigean go bhfaca Barra an buille ag teacht. Dorn an fhir ag déanamh ar a phus. Bhí an dorn ar tí é a bhualadh, ach **chúb*** Barra uaidh, díreach in am. Rug sé ar mheáchan páipéar ón deasc agus chaith sé le cloigeann an fhir é. Bhuail an meáchan isteach

* **chúb:** tharraing sé é féin siar go tapa

faoina chluas é. Lig an fear **cnead*** as agus thit sé ar an urlár.

Níor fhan Barra go bhfeicfeadh sé céard a tharlódh ina dhiaidh sin. Amach an doras leis agus suas an staighre de sciuird. D'fhéach sé ar a uaireadóir. Bhí sé tar éis a deich a chlog. Ní raibh tuairim aige céard ba cheart dó a dhéanamh anois, ach bhí rud amháin cinnte. Cibé cén rud a bhí ar tí tarlú, ní raibh fágtha ach leathuair an chloig sula mbeadh an eitilt sin go Washington ag fágáil. Bhí air na daoine sin a shábháil ón mbás!

* **cnead:** glór a dhéanann tú nuair a bhuaileann duine tú

Cabidil 6

Níl nóiméad
ar bith le cur amú

'Ok, tóg go réidh é,' arsa Lára le Barra. 'Smaoinigh anois nóiméad. Caithfimid rud éigin a dhéanamh ar an bpointe, ach níl cúnamh ar bith againn. Níl maith ar bith bheith ag caint le Bean de hÓra. Dúirt sí liomsa cheana féin go raibh mé seafóideach agus go raibh tusa i dtrioblóid mhór.'

'Céard atá déanta anois agam?'

'An bhean sa chithfholcadh – rinne sí gearán leis an óstán. Rinne sí cur síos an-chruinn ar do léine.

Tá Bean de hÓra sa tóir anois ort. Agus tá sí **ar deargbhuille*** leat.'

'Má tá féin, is cuma liom. Beidh an eitilt sin go Washington ag fágáil ag 22.43. Chonaic mé thíos ar an scáileán é. Níl ansin ach cúig nóiméad déag uainn. Sin an méid atá ar eolas againn. Céard is féidir linn a dhéanamh, a Lára?'

Bhain Lára amach a fón. 'Bhí mise i mbun oibre. Thaispeáin mé an pictiúr den nota sin d'Anabelle ón rang s'againne. Is Francach í a Mam agus bhí sí in ann cabhrú liom é a thuiscint.

Date Limite
Ven?
Vol RS 621
Tire de toit de 829

'Ven' – sin Vendredi, a cheap Anabelle: Dé hAoine. Sin anocht. 'Vol.' sin uimhir na heitilte.'

'Nach bhfuil a fhios againn é sin ar fad cheana féin?' arsa Barra **go grod****. 'An cheist mhór ná cá

---

*   **ar deargbhuille:** ar buille ceart, an-chrosta ar fad ar fad
**   **go grod:** go tobann, crosta

mbeidh Fear na gCuarán nuair a scaoilfidh sé an díuracán leis an eitleán? Muna bhfuil a fhios sin againn, ní bheimid in ann stop a chur leis.'

'Dúirt Anabelle go gciallaíonn – Tire de 829' 'Scaoil ó 829.' 'Toilette' an Fhraincis ar leithreas: b'fhéidir gurb shin atá i gceist le 'toit'? B'fhéidir go bhfuil sé chun an diúracán a scaoileadh ó fhuinneog an leithris.'

'Cén tseafóid atá ort? Ní féidir díuracán mór millteach a scaoileadh amach as sin.'

'Is féidir,' arsa Lára, agus eagla le haithint ar a héadan. 'Sheiceáil mé ar an idirlíon. Féach.'

Thaispeáin sí dó an t-eolas a bhí aimsithe aici ar an idirlíon.

*Scaoileann gunnadóir an diúracán óna ghualainn agus é ina shuí nó ina sheasamh. Tá PAMS Igla feistithe leis féin a threorú **go huathoibreach***. Is féidir leis **sprioc**** a aimsiú agus a bhualadh in imeacht cúpla soicind.*

---

*   **go huathoibreach:** as féin, gan duine a bheith á stiúradh
**   **sprioc:** an rud atá sé ag iarraidh a bhualadh

D'fhéach Barra ar a uaireadóir. 'Mura ndéanfaimid rud éigin go han-luath, maróidh an diúracán sin na céadta paisinéir. Tá dhá nóiméad déag againn.'

Bhain sé eochair Sheomra 829 amach as a phóca. 'Tá mé chun dul ar ais isteach ann. Glaoigh tusa ar na Gardaí. Agus glaoigh ar an aerfort. Abair leo stop a chur leis an eitleán sula n-éireoidh sé den talamh.'

'Níl aon mhaith glaoch ar an aerfort. Bhain mé triail as sin cheana féin. Níl le fáil ach ceann de na glórtha taifeadta sin a choinníonn ag fanacht ar feadh an lae tú. Tá gach duine ag glaoch ar an aerfort. Níl duine ar bith ag piocadh suas fóin thall ann. Ach a Bharra, fan! Ní fhéadfaidh tú dul isteach i Seomra 829. Ní asat féin.'

'Beidh mé **fíorchúramach***. Cén fáth nach dtagann tusa chun cabhrú liom? Tá fón póca agatsa. Teastaíonn fón uainn agus tá mo cheannsa ag Bean de hÓra.'

---

* **fíorchúramach:** an-chúramach ar fad

'Nó bhí' arsa Lára agus aoibh gháire ar a béal. 'Ach níl níos mó!' Bhain sí fón Bharra amach as a póca. '**Rith sé liom*** go mbeadh sé seo ag teastáil uait. Bhí sé fágtha ag Bean de hÓra ar an mbord lena thaobh... bhí sé éasca!'

'Lára, tá sé sin thar barr! Maith thú. Anois, suas linn go Seomra 829. Ar an bpointe boise!'

Rith siad chomh fada leis an ardaitheoir. Ní raibh ach deich nóiméad fanta. 'Bainfidh mé triail as an gcnag rúnda arís,' arsa Barra. 'Má éiríonn linn Fear na gCuarán a mhealladh amach as Seomra 829, beidh mé in ann an teilgeoir diúracán a sciobadh.'

Chuaigh Lára i bhfolach sa chófra glantóra arís, a fhad is a bhí Barra ag cnagadh ar an doras. Ansin rith sé ar ais chuig an gcófra. D'fhan Lára ag an doras ag féachaint amach, ach níor tháinig duine ar bith amach as an doras. Duine ar bith.

Chuaigh 6 nóiméad thart.

Bhí eochair Sheomra 829 **ina ghlac**** ag Barra. 'Beidh orm bualadh faoi. Beidh orm dul isteach ann.

---

*   **Rith sé liom:** smaoinigh mé, tháinig an smaoineamh chugam
** **ina ghlac:** ina lámh

Coinnigh tusa ort ag féachaint taobh amuigh agus tabhair **rabhadh*** dom má fheiceann tú duine ar bith ag teacht.'

*   **rabhadh:** foláireamh, comhartha

Cabidil 7

Ag Comhaireamh na Soicindí

Bhrúigh Barra an eochair isteach sa doras go mall, réidh. D'oscail sé an doras go bog agus chaith sé súil isteach. Bhí Seomra 829 folamh. Bhí an chuma ar an scéal nach raibh duine ar bith ann. Sheas Barra taobh amuigh den leithreas agus d'éist sé. Torann ar bith. D'oscail sé an doras go fíorchúramach. Ní raibh duine ar bith ann. Ní raibh fuinneog san áit fiú.

Caithfidh go raibh áit eile ar fad roghnaithe ag Fear na gCuarán leis an diúracán a scaoileadh uaidh. Bhí sé ródheireanach.

Bhí cúig nóiméad fanta.

Chas Barra ar a sháil leis an seomra a fhágáil. D'airigh sé **séideán gaoithe*** ar a éadan. Bhog na cuirtíní a bhí dúnta os comhair fhuinneog mhór na balcóine. Anonn leis le féachaint amach ar an mbalcóin. Ní raibh rud ar bith amuigh ansiúd ach oiread.

Sheas sé amach ann agus d'fhéach sé anonn ar an aerfort. Bhí an ceo scaipthe ar fad beagnach faoin tráth seo. Chonaic Barra túr an aerfoirt agus soilse na rúidbhealaí. Is ansin a chonaic sé rud éigin ag bogadh díreach os a chionn. Bhí rópa ag sileadh anuas ón díon os cionn na balcóine.

Ceithre nóiméad fanta.

Rug Barra ar an rópa agus thosaigh sé ag dreapadh. Ní raibh na rópaí ná na barraí balla sa Halla Gleacaíochta ar scoil leath chomh scanrúil leis an rópa seo. Bhí sé ar luascadh san aer, ocht n-urlár os cionn na talún agus **gaoth fhuar fheannta**** ina thimpeall. Bhí barrliobar ar a mhéara.

* **séideán gaoithe:** gaoth ag séideadh
** **gaoth fhuar fheannta:** gaoth a bhí chomh fuar sin go mbainfeadh sí an craiceann díot

Nuair a bhain sé barr an fhoirgnimh amach, thriail Barra é féin a tharraingt suas ar imeall an dín. D'fhéach sé anonn thar an díon mór fairsing. Ar an taobh thall den díon ar fad, bhí duine ar leathghlúin ann ... agus teilgeoir diúracán ar a ghualainn aige.

Trí nóiméad fanta.

Bhí Fear na gCuarán ag díriú diúracáin ar an rúidbhealach. Bhí a dhroim aige le Barra a fhad is a bhí sé siúd ag iarraidh é féin a tharraingt suas ar an díon, thar an ngáitéar. Bhí sé beagnach ann nuair a bhris an **gáitéar*** faoina chos. Sciorr Barra. Rug sé greim daingean ar an rópa. Luasc a chosa amach os cionn an charrchlóis. Bhrúigh sé ingne a lámh isteach sa rópa, agus d'éist sé le buillí troma a chroí féin.

Thug sé faoin díon arís, á tharraingt féin suas ar an leic, thar an ngáitéar a bhí sa bhealach air.

Dhá nóiméad fanta.

Rug Barra ar an taobh istigh de leic an dín agus tharraing sé é féin suas ar an díon.

Bhí an ghaoth fhuar ag dul trí Bharra. Níor thriail sé éirí ina sheasamh in aice le himeall an dín –

* **gáitéar:** píopa oscailte a bheireann ar uisce báistí ar imeall dín d'fhéadfadh gusta gaoithe é a scuabadh anuas den díon agus é a fhágáil ag titim tríd an aer os cionn an charrchlóis.

Thosaigh Barra **ag lamhacán*** trasna an dín, ag bogadh go mall i dtreo Fhear na gCuarán. Ní raibh a fhios aige céard dhéanfadh sé ach ar bhealach éigin, bhí air an diúracán sin a stopadh ionas nach scaoilfeadh Fear na gCuarán é i dtreo eitilt RS 621.

*   **ag lámhacán:** ag bogadh ar a chosa agus a ghlúine, mar a dhéanann leanbh óg

Nóiméad amháin.

Cheana féin, bhí Barra in ann eitleán a chloisteáil ag tiomáint síos an rúidbhealach. Bhog Fear na gCuarán an teilgeoir diúracán agus dhírigh i dtreo na spéire é, os cionn na soilse dearga ag bun an rúidbhealaigh. D'fhéach Barra ar a uaireadóir agus na soicindí deireanacha ag ticeáil chun siúil.

Tharraing sé an t-uaireadóir anuas dá **rosta*** agus chaith le Fear na gCuarán é. Bhuail an t-uaireadóir an talamh taobh leis agus baineadh geit as. D'fhéach Fear na gCuarán ina thimpeall. Dhírigh a dhá shúil fhiáine ar Bharra. Lig sé béic as agus chas sé timpeall in athuair, á réiteach féin le scaoileadh leis an eitleán a bhí ag sciurdáil anois síos an rúidbhealach.

Go tobann, lig an t-uaireadóir gleo ard as. 'Coc a Dúdal Dú!' Gheit Fear na gCuarán arís le hiontas – agus léim Barra sa mhullach air.

Thit an teilgeoir diúracán **de thrup**** ar an díon lena dtaobh. Tháinig búir mhillteanach uaidh agus chlúdaigh sé an bheirt le scamall mór deataigh.

---

* **rosta:** an chuid den lámh a gcaitheann daoine uaireadóirí agus braisléid air
** **de thrup:** rinne sé trup nó torann

Réab diúracán amach thar an díon agus eireaball splancacha ag scardadh amach as a chúl. Amach sa spéir leis sular thit sé síos sé ina **ghuairneán*** splancach, síos i dtreo an charrchlóis. Tháinig sé anuas ar dhíon veain agus phléasc sé ina lasracha agus ina dheatach dubh.

* **guairneán:** ag bogadh timpeall, timpeall agus é ag eitilt

Dá airde an gleo a rinne an pléascán, b'airde fós an trup a bhí anois ann ón scairdeitleán mór a bhí ag ardú sa spéir de sciuird, díreach os cionn na beirte. Isteach sna scamaill leis, ag imeacht uathu, slán sábháilte.

Lig Fear na gCuarán **béic chuthaigh*** as. Tharraing sé amach gunna agus chiceáil sé Barra trasna an dín. Thit Barra de phlab. Roll sé é féin agus theith sé i dtreo imeall an dín. D'ardaigh Fear na gCuarán a ghunna agus dhírigh sé ar Bharra. Bhuail piléar an díon in aice chloigeann Bharra. Ní rachadh an chéad cheann eile amú.

Chonaic Barra an rópa ar tháinig sé aníos air. Léim sé ina threo. Thit airgead agus a fhóna póca as a phócaí. Rug sé ar an rópa lena dhá lámh. Luasc an rópa amach os cionn an charrchlóis agus ar ais arís. Bhuail cloigeann Bharra in aghaidh an bhalla. Bhí an rópa **ag tabhairt uaidh****. Ansin chonaic sé Fear na gCuarán ina sheasamh os a chionn, a ghunna dírithe aige ar chloigeann Bharra.

D'fhéach Barra suas, isteach i súile fuara Fhéar

---

*   **béic chuthaigh:** béic an-chrosta go deo
**   **ag tabhairt uaidh:** ag titim as a chéile, ar tí briseadh

na gCuarán. Díreach ag an soicind sin bhris an rópa. Thit Barra síos tríd an aer nó gur tháinig sé anuas **de phleist*** ar an mbalcóin thíos faoi. Luigh sé ann agus mearbhall air. Bhí sé éasca é a bhualadh le piléar as an ngunna anois. D'fháisc Fear na gCuarán a mhéar ar an truicear.

Go tobann, chuala Barra **rois piléar**** á scaoileadh ar an taobh thall den díon. Chas Fear na gCuarán timpeall. Sciorr sé. Tharla an chuid eile go han-tapa. Lig Fear na gCuarán scréach as agus é ag sleamhnú anuas d'imeall an dín. Bhuail sé a chloigeann in aghaidh ráillí na balcóine, sular thit sé go trom i dtreo an charrchlóis, ocht n-urlár síos faoi.

D'fhéach Barra síos. Bhí múisc air agus bhí fuil lena shrón. D'airigh sé lámh ar a ghualainn. Chas sé thart. Lára a bhí ann.

'Nach *mise* atá sásta tusa a fheiceáil!' ar sise. 'Ghlaoigh mé ar d'fhón nóiméad ó shin agus ní raibh freagra ar bith uait.'

'Is mise atá sásta gur ghlaoigh tú,' arsa Barra. 'An

---

*   **de phleist:** ina charn, ina chnap
** **rois piléar:** roinnt mhaith piléar a scaoiltear ag an am céanna

cuimhin leat an clingthon sin a bhí agam? An rois piléar? Bhain sé geit uafásach as Fear na gCuarán! Sin é an fáth ar thit sé! Murach é sin, bheinn féin fuar marbh anois.'

'Ghlaoigh mé ort mar go bhfuair mé téacs ó Anabelle. Ní leithreas atá i gceist le 'toit' beag ná mór. Is é an focal Fraincise é ar ..

'Díon?'

'Conas a bhí a fhios agat? Ghlaoigh mé ar na póilíní chomh maith.'

Chabhraigh Lára le Barra a theacht ar ais isteach sa seomra codlata. Bhí fear ina luí ar an urlár agus é **ag gnúsachtach***. Bhí sé ceangailte ag sreangán mór fada, agus bhí an Hoover leagtha anuas in airde air.

Rinne Lára gáire. 'Thriail an fear Slándála sin breith orm ach bhí pleananna eile agamsa don Uasal Gan Ordóg. Bhí sé fós beagán craite i ndiaidh duitse agus an meáchan páipéar. Bhuail mise ar an taobh eile den cheann é le plocóid an Hoover.'

---

*   **ag gnúsachtach:** ag déanamh torainn atá saghas cosúil le caint, ach níl aon bhrí leis

Go tobann, phléasc an doras ar oscailt, Sheas Bean de hÓra i mbéal an dorais agus fearg mhór uirthi. Lena taobh bhí beirt Gharda agus gunnaí ina lámha acu.

Cabidil 8

Deireanach arís

B'éigean do Bharra agus do Lára **ráiteas*** i ndiaidh ráitis a thabhairt do na Gardaí. Bhí uaireanta fada an chloig cainte le déanamh leis na nuachtáin, na stáisiúin teilifíse agus raidió ar fad. Bhí gach duine ag iarraidh a chloisteáil faoin méid a tharla.

An mhaidin dár gcionn, leaindeáil tuismitheoirí Bharra agus athair Lára isteach in óstán an aerfoirt. Bhí Bean de hÓra díreach ag fágáil, ag tabhairt an ghrúpa scoile ar an turas sciáile chun na hOstaire, faoi dheireadh.

---

* **ráiteas:** píosa cainte nó scríofa chun cur síos a dhéanamh ar an méid a tharla. Is féidir é a úsáid le linn cás cúirte.

Cúpla lá ina dhiaidh sin, chuir na Gardaí Barra agus Lára ar bord eitleáin ionas go bhféadfaidís bheith lena gcomhscoláirí don dara leath den turas scoile. Agus iad ag tuirlingt san Ostair, chuimhnigh siad ar an méid a bheadh le rá ag Bean de hÓra leo.

'Tá súil agam nach mbeidh **drochspion*** uirthi nuair a bhuailfidh sí linn,' arsa Barra. 'Seans go dtabharfaidh sí íde béil dúinn faoin méid strus a d'fhulaing sí dár mbarr.'

Ach ní mar sin a bhí ar chor ar bith. Nuair a bhuail Bean de hÓra leo, bhí aoibh mhór gáire ar a béal. Rinne sí sciotaíl gáire, go fiú, agus iad sa tacsaí ar an mbleach chuig an óstán.

'Is cosúil go raibh dul amú orm i do thaobhsa a Bharra,' a dúirt sí. 'Is cosúil go bhfuil rud an-mhisniúil ar fad déanta agat. Shábháil tú na céadta duine ón mbás. Tá mé fíorbhródúil asat.'

Ba bheag nár thacht Barra. Ba é sin an chéad uair ar labhair Bean de hÓra riamh leis gan a bheith **á ithe is á ghearradh**.**

---

* **drochspion:** drochghiúmar, crosta
** **á ithe is á ghearradh:** ag tabhairt íde béil dó

63

Thaispeáin sí dó na cinnlínte sna nuachtáin:

Sábháilte ó Sceimhlitheoir
Faigheann Gaiscíoch Óg an Lámh in Uachtar
Barra Buacach in aghaidh Namhaid Nimhnigh
Misneach, Gliceas agus Uaireadóir Aisteach

'Mar sin féin,' a deir sí, 'féadfaidh tú d'fhón póca a thabhairt ar ais domsa. Coinneoidh mé slán sábhailte é. Níor mhaith liom go mbeadh trioblóid eile agat de bharr na bhfuaimeanna a dhéanann an fón céanna.'

Sula bhféadfadh sé é féin a stopadh, scaoil Barra **broim*** mhór ard. Chas an tiománaí tacsaí ina shuíochán agus stán sé siar ar Bharra. Bhuail an roth tosaigh imeall an chosáin.

Lig Barra scairt gháire as. 'Caithfidh mé ceann acu sin a thaifeadadh don chéad chlingthon nua eile!'

'Ní dhéanfaidh tú tada dá shórt a fhad is a bheidh tú faoi mo chúramsa,' arsa Bean de hÓra go grod.

'Beidh buachaillí ina mbuachaillí i gcónaí,' arsa Lára. 'Agus b'fhéidir gur mar sin is fearr é.'

---

* **broim:** fuaim a chloistear nuair a scaoiltear gás amach as tóin duine

Tharraing an tacsaí isteach taobh amuigh den óstán a raibh an grúpa ón scoil ag fanacht ann. D'fhéach Barra suas ar na sléibhte ar chúl an óstáin. Bhí siad clúdaithe le brat **lonrach*** sneachta.

Bhí Barra an-sásta leis féin. D'fhéach sé anonn ar Lára. Bhí sé ag súil go mór le rith isteach doras an óstáin in éineacht léi. Tar éis an tsaoil, bhí cluiche 'Imigh i bhFolach' le críochnú ag an mbeirt acu.

---

* **lonrach:** geal, ag lonrú faoin ngrian

Ábhar Tacaíochta

Tá fáil SAOR IN AISCE ar acmhainní breise tacaíochta don seomra ranga don tsraith úrscéalta seo. Cruthaídh an t-ábhar tacaíochta seo i gcomhar le múinteoirí agus tá fáil air ónár suíomh idirlín, **www.futafata.ie**

Ar fáil ar an suíomh/available online www.futafata.ie